Plus de 120 ans et toutes ses dents !

C'est à Nantes que Louis Lefèvre-Utile crée en 1886 la recette du Véritable Petit Beurre LU. Aujourd'hui devenu l'un des symboles du patrimoine culinaire français, c'est un véritable produit culte. Voici les secrets du célèbre biscuit :

- Sa recette unique. Les mots de son créateur pour la décrire mettent l'eau à la bouche : « Qu'on se figure un biscuit de forme carrée, longue, aux bords découpés en festons arrondis, qui croque sous la dent sans s'émietter, qui fond dans la bouche en y laissant un goût exquis sans être trop prononcé. (…) C'est un biscuit vraiment français, vraiment breton, avec une pointe de sucre, un nuage de lait, un doigt de ce beurre succulent qui a valu à nos départements armoricains une renommée universelle.»

- Sa forme particulièrement soignée. Elle célèbre le plaisir de le croquer tout au long de l'année, avec ses 4 oreilles qui symbolisent les 4 saisons, ses 52 dents et oreilles les 52 semaines de l'année et ses 24 biscuits par paquet les 24 heures de la journée ! Son pourtour festonné et son lettrage emprunté à la broderie évoquent le napperon de grand-mère sur lequel se pose la tasse de café qui accompagnera le Véritable Petit Beurre LU.

Et c'est ainsi que petits et grands ont grand plaisir à le croquer par les oreilles !

LE PETIT LIVRE

**Véritable
Petit Beurre**

CATHERINE QUÉVREMONT

PHOTOGRAPHIES D'ILONA CHOVANCOVA

MARABOUT

SOMMAIRE

LES KITS

DESSERTS À PARTAGER

DESSERTS INDIVIDUELS

PETITES DOUCEURS

KIT VERRINES

Prendre quelques jolis verres et superposer au gré des envies…

POUR 4 PERSONNES

CHOCOLAT NOIR + YAOURT
2 cuillerées à soupe de Véritable Petit Beurre écrasés (soit 2 biscuits)

100 g de chocolat noir fondu + 6 carrés pour la déco

6 cuillerées à soupe de crème fraîche

1 yaourt nature battu

Dans un bol, fouetter 3 cuillerées à soupe de crème avec le yaourt, réserver au frais. Faire bouillir la crème restante. Y faire fondre le chocolat noir tout en mélangeant. Préparer les verrines en versant une cuillerée de ganache au chocolat, un peu de Véritable Petit Beurre écrasés, 1 cuillerée de crème battue au yaourt et terminer par un peu de chocolat fondu. Servir immédiatement.

FRUITS ROUGES
2 cuillerées à soupe de Véritable Petit Beurre écrasés (soit 2 biscuits)

3 cuillerées à soupe de chantilly

1 poignée de fraises et framboises émincées

Préparer directement les verrines en versant les miettes de Véritable Petit Beurre dans le fond, couvrir de chantilly et terminer par les fruits rouges.

CHOCOLAT BLANC + PASSION
2 cuillerées à soupe de Véritable Petit Beurre écrasés (soit 2 biscuits)

100 g de chocolat blanc fondu

3 cuillerées à soupe de chantilly

15 cl de coulis de fruits de la Passion

2 cuillerées à soupe de Maïzena

4 cuillerées à soupe de fruits exotiques en cubes (papaye, ananas…)

Faire épaissir le coulis de fruits de la Passion avec la Maïzena. Chauffer 2 minutes en mélangeant. Incorporer le chocolat fondu et la chantilly. Préparer les verrines en versant un peu de miettes de Véritable Petit Beurre, une cuillerée de mousse au chocolat, un peu de coulis. Terminer par quelques cubes de fruits exotiques et de pulpe de fruits de la Passion.

KIT TRUFFES

Juste une simple ganache (chocolat noir ou blanc + crème fraîche bouillante)
et de la poudre de Véritable Petit Beurre !

TRUFFES TOUT CACAO
200 g de chocolat noir
3 cuillerées à soupe de Véritable Petit Beurre
écrasés (soit 3 biscuits)
2 cuillerées à soupe de crème fraîche
5 cuillerées à soupe de cacao en poudre

Faire chauffer la crème. Y faire fondre
le chocolat tout en mélangeant. Incorporer
la poudre de Véritable Petit Beurre. Laisser
refroidir la ganache. Prélever des petites
quantités et les travailler dans le creux
de la main pour former des boules. Rouler
les boules dans le cacao puis réserver au
frais jusqu'au moment de servir.

IDÉES D'ENROBAGE
Sucre glace, vermicelles colorés, éclats de
caramel, fruits secs mixés (noix, noisettes,
pistaches)... Prévoir 5 cuillerées à soupe de
chaque ingrédient pour travailler en toute
tranquillité.

POUR 4 PERSONNES

TRUFFES COCO
200 g de chocolat blanc
2 cuillerées à soupe de Véritable Petit Beurre
écrasés (soit 2 biscuits)
1 cuillerée à soupe de crème fraîche
5 cuillerées à soupe de poudre de noix
de coco

Faire chauffer la crème et faire fondre
le chocolat blanc tout en mélangeant.
Incorporer la poudre de Véritable Petit
Beurre. Laisser refroidir la ganache.
Prélever des petites quantités et les
travailler dans le creux de la main pour
former des boules. Les rouler dans la noix
de coco puis réserver au frais.

KIT SANDWICHS

Pour se faire plaisir et mordre à pleines dents dans des Véritable Petit Beurre gourmands, voici quelques idées à moduler à l'infini, il suffit de glisser vos douceurs fétiches entre les biscuits.

POUR 4 PERSONNES

SANDWICH GLACÉ
8 Véritable Petit Beurre
Glace à la fraise, framboise ou mangue

Monter le sandwich en répartissant la glace sur un Véritable Petit Beurre (si possible s'aider d'un emporte-pièce aux dimensions du biscuit), puis en refermant avec un autre biscuit.

SANDWICH FRAIS AUX FRUITS
8 Véritable Petit Beurre
4 cuillerées à soupe de fromage frais (mascarpone, Carré frais® ou St Môret®)
1 poignée de fraises fraîches en tranches

Fouetter le fromage frais. Monter le sandwich en répartissant le fromage sur un Véritable Petit Beurre, déposer quelques fines tranches de fruits et terminer par un biscuit.

SANDWICH CHOCO-MERINGUE
8 Véritable Petit Beurre
100 g de chocolat noir
2 cuillerées à soupe de crème fraîche
1 meringue en morceaux

Faire bouillir la crème. Y faire fondre le chocolat noir tout en mélangeant. Incorporer les morceaux de meringue. Tartiner un Véritable Petit Beurre du mélange et couvrir d'un autre biscuit. Pour une version fruitée, remplacer la meringue par 1 cuillerée à soupe de confiture de framboises et pour plus de croquant, ajouter des éclats de caramel.

OPTION + : LE VÉRITABLE PETIT BEURRE EN COQUE DE CHOCOLAT
Faire fondre du chocolat, y plonger les Véritable Petit Beurre et laisser refroidir.

KIT MILLEFEUILLES

On ne compte plus les couches, c'est le summum de la régression gourmande !

CONFITURE DE LAIT
12 Véritable Petit Beurre
12 cuillerées à soupe de confiture de lait
4 cuillerées à soupe d'éclats Salidou® (éclats de caramel au beurre salé)
+ 1 cuillerée à soupe pour la déco

Mélanger les éclats de Salidou avec la confiture de lait. Monter le millefeuille et terminer par une couche de confiture de lait, saupoudrer de Salidou.

POUR 4 PERSONNES

CRÈME DE MARRONS
12 Véritable Petit Beurre
12 cuillerées à soupe de crème de marrons
4 marrons glacés + 2 pour la déco

Couper 4 marrons glacés en morceaux et les mélanger à la crème de marrons. Monter le millefeuille, terminer par une couche de crème et parsemer de morceaux de marrons.

ROSE
12 Véritable Petit Beurre
100 g de fromage frais (mascarpone, ricotta ou Philadelphia®)
4 cuillerées à café de coulis de framboises
1 poignée de framboises fraîches

Fouetter le fromage frais et le coulis de framboises. Monter le millefeuille et terminer par une couche de fromage. Répartir quelques framboises sur le dessus.

TIRAMISU

25 MIN DE PRÉPARATION - 2 H DE RÉFRIGÉRATION

POUR 4 PERSONNES

12 Véritable Petit Beurre
250 g de mascarpone
3 œufs
50 g de sucre
2 cuillerées à soupe
de rhum ambré
20 cl de café très corsé
froid
1 pincée de sel
cacao amer en poudre

1- Séparer les blancs des jaunes. Fouetter les jaunes avec le sucre jusqu'à obtenir un mélange mousseux. Ajouter alors le mascarpone, continuer à fouetter pour que le mélange épaississe.

2- Saupoudrer les blancs d'une pincée de sel et les monter en neige ferme. Les incorporer délicatement à la crème au mascarpone.

3- Dans le fond d'un plat ou dans des ramequins individuels, déposer une mince couche de crème.

4- Dans une jatte, verser ensemble le café et le rhum. Y tremper rapidement les Véritable Petit Beurre. Recouvrir la crème d'une couche de biscuits. Continuer en alternant les couches jusqu'à terminer par une dernière épaisseur de crème, lissée au couteau.

5- Mettre 2 cuillerées à soupe de cacao amer dans une passoire à thé et saupoudrer la surface du gâteau de cacao.

6- Placer au réfrigérateur pour au moins 2 heures.

7- Remettre un peu de poudre de cacao au moment de servir.

CRUMBLE MANGUE & FRUITS EXOTIQUES

20 MIN DE PRÉPARATION - 30 MIN DE CUISSON - 2 H DE RÉFRIGÉRATION

POUR 4 PERSONNES

2 mangues bien mûres
2 kiwis
3 cuillerées à soupe
d'airelles surgelées
3 fruits de la Passion
1 cuillerée à café
de gingembre frais râpé
1 cuillerée à café de jus
de yuzu

POUR LES MIETTES
12 Véritable Petit Beurre
50 g de beurre fondu
1 cuillerée à soupe
de cassonade
1 sachet de sucre vanillé

1 - Éplucher les mangues et les kiwis, les couper en morceaux. Ouvrir les fruits de la Passion et recueillir la chair à l'aide d'une petite cuillère.

2 - Mettre les morceaux de mangue et la pulpe des fruits de la Passion dans une coupelle, arroser de jus de yuzu, ajouter le gingembre, mélanger et placer au réfrigérateur pour 2 heures.

3 - Mixer grossièrement les Véritable Petit Beurre. Mélanger ces morceaux avec le beurre fondu, la cassonade et le sucre vanillé. Les morceaux de biscuits doivent être bien enrobés.

4 - Préchauffer le four à 180 °C. Dans un plat à gratin, verser les fruits macérés ainsi que les airelles surgelées puis les recouvrir de miettes de Véritable Petit Beurre. Enfourner pour 30 minutes de cuisson.

MILLEFEUILLE À LA NOISETTE

45 MIN DE PRÉPARATION - 25 MIN DE CUISSON

POUR 4 PERSONNES

1 paquet de Véritable
Petit Beurre
300 g de sucre
4 œufs
50 cl de lait
2 cuillerées à soupe
de poudre de noisettes
1 cuillerée à soupe
de sucre glace
1 pincée de sel

1- Mixer finement les Véritable Petit Beurre.

2- Verser le sucre dans une casserole, la porter à feu vif, faire un caramel blond. Ajouter 150 g de poudre de Véritable Petit Beurre, faire remonter la température jusqu'à un petit bouillonnement, bien mélanger avec une cuillère en bois. L'étaler sur une feuille de papier cuisson et laisser refroidir le caramel.

3- Mixer le caramel obtenu. Étaler finement la poussière de caramel sur du papier cuisson. S'aider de pochoirs pour former des disques ou des rectangles. Enfourner à 170 °C pour 10 minutes. Après cuisson, laisser complètement refroidir.

4- Pendant ce temps, fouetter les jaunes d'œufs avec le reste de poudre de caramel et la poudre de noisettes. Verser le lait chaud sur le mélange et remettre à cuire jusqu'à épaississement de la crème. Laisser refroidir.

5- Battre les blancs en neige très ferme avec une pincée de sel, ajouter progressivement le sucre glace. Mélanger alors les deux préparations.

6- Monter le millefeuille : poser une feuille caramélisée, une bonne cuillère de crème, une seconde feuille, couvrir de crème puis terminer le gâteau par une dernière feuille de caramel.

CHARLOTTE ANANAS & MASCARPONE

25 MIN DE PRÉPARATION - 1 NUIT DE RÉFRIGÉRATION

1- Ôter les extrémités de l'ananas, puis le couper en 4 parties. Enlever la partie dure du cœur et couper la chair en petits morceaux. Travailler au-dessus d'un saladier pour recueillir le maximum de jus pendant l'opération.

2- Mixer la moitié de la chair de l'ananas. Faire ramollir les feuilles de gélatine dans de l'eau froide puis les essorer entre les paumes de la main. Faire chauffer ensemble la chair mixée et la gélatine essorée. Laisser tiédir.

3- Fouetter le mascarpone et le sucre en poudre, ajouter la purée d'ananas. Dans un autre récipient, fouetter la crème fraîche en chantilly très ferme avec le sucre glace. Mélanger les deux préparations.

4- Dans un plat creux, verser le jus d'ananas, le rhum, le sirop de sucre de canne. Tremper rapidement les Véritable Petit Beurre dans ce liquide (en réserver quelques uns).

5- Répartir les Véritable Petit Beurre dans le fond et contre les parois du moule à charlotte. Verser 3 cuillerées à soupe de la préparation à base d'ananas, quelques morceaux d'ananas, des morceaux de Véritable Petit Beurre concassés et trempés dans le jus. Continuer à monter la charlotte en alternant les ingrédients. Terminer par une dernière couche de Véritable Petit Beurre imbibés de jus d'ananas.

6- Poser une assiette sur le moule à charlotte et mettre au réfrigérateur pour 1 nuit.

POUR 4 PERSONNES

18 Véritable Petit Beurre
1 ananas bien mûr
2 cuillerées à soupe
de rhum blanc
20 cl de sirop de sucre
de canne
250 g de mascarpone
20 cl de crème fraîche
30 g de sucre glace
50 g de sucre en poudre
2 feuilles de gélatine

CHEESE-CAKE AU CITRON

30 MIN DE PRÉPARATION - 1 H 15 DE CUISSON - 1 H DE REPOS - 1 NUIT DE RÉFRIGÉRATION

POUR 6 À 8 PERSONNES

14 Véritable Petit Beurre
80 g de beurre fondu
350 g de ricotta
350 g de Philadelphia
100 g de sucre
1 sachet de sucre vanillé
3 œufs
1 citron jaune
150 g de lemon curd

1- Préchauffer le four à 180 °C. Mixer les Véritable Petit Beurre, les mélanger au beurre fondu. Dans le fond d'un moule à charnière (20 cm de diamètre), garni de papier cuisson, tasser la pâte de biscuit. Enfourner pour 15 minutes de cuisson.
2- Prélever le zeste du citron. Couper le citron en 4 et le mixer finement.
3- Mixer ensemble les 2 fromages, les sucres, la pulpe de citron, 100 g de lemon curd et les œufs un par un.
4- Verser cette préparation dans le moule sur la pâte de biscuit, enfourner à 140 °C. Laisser cuire 1 heure.
5- Entrouvrir la porte du four et laisser le gâteau encore 1 heure. Laisser refroidir puis démouler. Décorer le dessus du cheese-cake avec le reste de lemon curd et les zestes de citron.

BROWNIES AU VÉRITABLE PETIT BEURRE

15 MIN DE PRÉPARATION - 30 MIN DE CUISSON

POUR 10 BROWNIES

12 Véritable Petit Beurre
200 g de cassonade
200 de chocolat noir
200 g de beurre
½ sachet de levure
4 œufs
50 g de noisettes
quelques noix de pécan

1- Préchauffer le four à 180 °C. Faire fondre le chocolat et le beurre au micro-ondes puis laisser tiédir.
2- Mixer finement les Véritable Petit Beurre.
3- Faire griller les noisettes dans une poêle antiadhésive puis les mixer grossièrement.
4- Ajouter un par un les œufs au chocolat fondu. Incorporer la cassonade, la poudre de Véritable Petit Beurre, la levure puis les noisettes et les noix de pécan.
5- Garnir un plat à gratin de papier cuisson, verser la préparation puis enfourner pour 30 minutes. Laisser refroidir avant de démouler puis couper en carrés.

MOELLEUX AU CHOCOLAT BISCUITÉ

20 MIN DE PRÉPARATION - 6 À 7 MIN DE CUISSON - 3 H DE RÉFRIGÉRATION

POUR 4 PERSONNES

6 Véritable Petit Beurre
100 g de chocolat
au caramel
100 g de beurre salé +
25 g de beurre doux
pour les moules
4 œufs
50 g de sucre

1- Faire fondre le chocolat au micro-ondes. Dans le chocolat chaud, ajouter le beurre coupé en très petits morceaux. Mélanger l'ensemble pour obtenir une pommade.
2- Réduire les Véritable Petit Beurre en poudre.
3- Fouettez les œufs avec le sucre jusqu'à ce que le mélange blanchisse puis verser la poudre de Véritable Petit Beurre et continuer à mélanger.
4- Mélanger les 2 préparations et placer au réfrigérateur pour au moins 3 heures.
5- Préchauffer le four à 210 °C. Beurrer 4 moules type moules à baba individuels, les remplir aux ¾ avec la préparation et enfourner pour 6 ou 7 minutes. Il faut que le cœur du moelleux reste coulant. Démouler avec précaution à la sortie du four.

TERRINE CHOCO-MERINGUE

20 MIN DE PRÉPARATION - 12 H DE RÉFRIGÉRATION

**POUR
8 À 10 PERSONNES**

1 paquet de Véritable
Petit Beurre

1 grosse meringue
de boulanger

2 œufs

75 g de sucre

100 g de chocolat Milka
aux éclats de Daims

200 g de chocolat noir

200 g de beurre

5 cl de whisky

10 cl de café fort

1- Réserver 10 Véritable Petit Beurre. Concasser grossièrement
les autres biscuits ainsi que la meringue.

2- Faire fondre les deux chocolats et le beurre au micro-ondes.
Bien mélanger.

3- Incorporer les œufs, le sucre et le whisky. Mélanger.

4- Ajouter enfin les morceaux de Véritable Petit Beurre
et de meringue.

5- Tapisser un moule à cake d'un film alimentaire. Dans le fond,
placer les uns à côté des autres 5 Véritable Petit Beurre
trempés dans un mélange whisky et café fort, puis verser
la moitié de la préparation. Aligner 5 autres Véritable Petit
Beurre entiers imbibés de café, finir de verser la préparation
et refermer le film. Placer 12 heures au frais.

6- Démouler, servir la terrine coupée en fines tranches
et accompagnée par exemple d'une crème anglaise au café
et de crème fouettée.

SAUCISSON AU CHOCOLAT

20 MIN DE PRÉPARATION - 6 À 7 MIN DE CUISSON - 6 H DE RÉFRIGÉRATION

À PARTAGER

14 Véritable Petit Beurre
100 g de chocolat noir
75 g de beurre mou
100 g de sucre glace
2 cuillerées à soupe
d'éclats de Salidou®
(éclats de caramel au
beurre salé)
1 œuf
120 g d'amandes effilées
50 g de sucre glace
et poudre de cacao

1- Mixer grossièrement les Véritable Petit Beurre.
2- Dans une poêle antiadhésive, faire griller les amandes jusqu'à ce qu'elles blondissent.
3- Faire fondre le chocolat au micro-ondes.
4- Dans un bol, travailler le beurre mou et le sucre pour obtenir une pommade, y ajouter le chocolat fondu et mélanger. Ajouter l'œuf, les amandes grillées, les éclats de Salidou et les morceaux de Véritable Petit Beurre. Mélanger soigneusement.
5- Verser la préparation sur une feuille de film alimentaire. Doucement, avec la paume des mains, rouler la pâte dans le film jusqu'à former un « saucisson » de forme régulière. Placer au réfrigérateur pour 6 heures.
6- Déballer le saucisson puis le rouler dans le mélange sucre glace et poudre de cacao. Couper en fines tranches et servir.

MOKA

35 MIN DE PRÉPARATION - 1 NUIT DE RÉFRIGÉRATION

POUR 8 PERSONNES

36 Véritable Petit Beurre

250 g de beurre mou

20 cl de sirop de sucre
de canne

2 œufs

200 g de chocolat noir

3 cuillerées à soupe
de café filtre soluble

Grains de café en
chocolat

1- Préparer un café fort en faisant fondre le café soluble
dans 50 cl d'eau bouillante. Faire fondre le chocolat
au micro-ondes avec 1 cuillerée à soupe de café fort.

2- Dans le bol du mixeur, mettre le beurre mou coupé
en morceaux, le mixer en versant le sirop de sucre. Ajouter
les œufs un à un, continuer à mixer. Verser le chocolat fondu,
mixer. Mettre la crème au réfrigérateur 15 minutes.

3- Tremper l'un après l'autre 12 Véritable Petit Beurre dans
le café fort, les disposer en rectangle sur un plateau
et les recouvrir d'une couche de crème au chocolat. Tremper
12 autres biscuits dans le café, les disposer sur la crème.
Recouvrir d'une nouvelle couche de crème.

4- Terminer par une dernière couche de Véritable Petit Beurre
imbibés de café. Décorer de quelques grains de café
en chocolat. Laisser reposer 1 nuit au réfrigérateur.

Si l'on préfère une crème au beurre au café, utiliser
350 g de beurre mou et faire fondre 2 cuillerées à soupe
de café soluble dans le sirop de sucre.

DÔME BANANE & CHOCOLAT

20 MIN DE PRÉPARATION - 3 MIN DE CUISSON - 3 H DE RÉFRIGÉRATION

POUR 4 PERSONNES

20 Véritable Petit Beurre
10 cl de sirop de sucre de canne
5 cl de rhum blanc
200 g de chocolat noir intense
3 c. à s. de crème fraîche épaisse
1 banane
1 jus de citron

1- Faire bouillir la crème fraîche, la verser sur le chocolat coupé en petits morceaux, mélanger puis ajouter 2 Véritable Petit Beurre mixés finement à la ganache.

2- Prendre un saladier bien rond, le garnir de film alimentaire. Tremper des Véritable Petit Beurre dans le mélange sirop de sucre et rhum, en tapisser tout l'intérieur du saladier en les appliquant bien contre les parois.

3- Éplucher la banane, la couper en lamelles, les arroser de jus de citron. Verser la moitié de la ganache chocolat dans le saladier garni de Véritable Petit Beurre, poser 2 couches de lamelles de banane. Finir de remplir avec le reste de la ganache. Poser une dernière couche de biscuits imbibés. Refermer le film alimentaire, tasser un peu.

4- Mettre au frais pour 3 heures. Déballer la bombe sur un plat de service, l'arroser éventuellement de chocolat fondu et décorer de lamelles de banane.

TARTE AUX POIRES

25 MIN DE PRÉPARATION - 40 MIN DE CUISSON

**POUR
4 À 6 PERSONNES**

1 pâte brisée
6 Véritable Petit Beurre
3 poires (comice ou conférence)
2 œufs
125 g d'amandes en poudre
75 g de sucre
30 g de crème fleurette
quelques copeaux de chocolat pour le décor
1 cuillerée à soupe de cannelle

1 - Préchauffer le four à 210 °C. Foncer un moule à tarte avec la pâte brisée, piquer le fond à l'aide d'une fourchette puis enfourner pour 10 minutes.

2 - Mettre les Véritable Petit Beurre dans un sac en plastique et passer un rouleau à pâtisserie dessus pour les concasser grossièrement. Éplucher les poires, les couper en 2, les poser sur le fond de tarte précuit, côté bombé sur le dessus.

3 - Dans un bol, fouetter les œufs avec le sucre, ajouter la poudre d'amande et la crème fleurette.

4 - Incorporer les miettes de Véritable Petit Beurre. Verser cette préparation sur les poires, répartir les copeaux de chocolat.

5 - Baisser le four à 180 °C, enfourner la tarte et laisser cuire 30 minutes. À la sortie du four, saupoudrer de cannelle et laisser refroidir.

TARTELETTES AUX NOIX DE PÉCAN

25 MIN DE PRÉPARATION - 40 MIN DE CUISSON - 2 H DE RÉFRIGÉRATION

POUR 6 PERSONNES

20 **Véritable Petit Beurre**
120 g de beurre salé fondu
50 g de sucre
15 cl de sirop d'érable
2 œufs
200 g de noix de pécan

1- Mixer finement les Véritable Petit Beurre, les mélanger avec 60 g de beurre fondu. Garnir les moules à tartelette de cette pâte, bien tasser dans le fond et sur les bords. Placer les moules au réfrigérateur pour 2 heures.

2- Préchauffer le four à 180 °C. Fouetter ensemble le reste du beurre fondu, le sucre et le sirop d'érable. Puis ajouter les œufs l'un après l'autre, toujours en fouettant.

3- Garnir les tartelettes de quelques noix de pécan, verser dessus un peu de préparation. Enfourner les tartelettes, laisser cuire 15 minutes puis baisser le four à 150 °C et continuer la cuisson pour 25 minutes.

FLAN AU VÉRITABLE PETIT BEURRE

15 MIN DE PRÉPARATION - 40 MIN DE CUISSON - 1 H DE RÉFRIGÉRATION

POUR 4 PERSONNES

1 pâte brisée
3 œufs
6 Véritable Petit Beurre
50 g de cassonade
25 cl de lait
1 cuillerée à café
de cannelle en poudre

1- Garnir un moule à tarte avec la pâte brisée, piquer le fond
à l'aide d'une fourchette. Placer au réfrigérateur pour 1 heure.
Puis la cuire 10 minutes à four préchauffé à 180 °C.
2- Pendant ce temps, mixer finement les Véritable Petit Beurre.
Faire bouillir le lait.
3- Dans un saladier, battre ensemble les œufs, la cassonade,
la cannelle et la poudre de Véritable Petit Beurre. Verser
doucement le lait chaud sur le mélange.
4- Sortir le fond de tarte du four, verser la préparation
et remettre à cuire. Baisser le four à 150 °C et laisser cuire
30 minutes. À la sortie du four, saupoudrer de cannelle.
5- Laisser refroidir avant de démouler.

PANNA COTTA À LA VANILLE

20 MIN DE PRÉPARATION - 5 MIN DE CUISSON - 4 H DE RÉFRIGÉRATION

POUR 4 PERSONNES

8 Véritable Petit Beurre
50 cl de crème fleurette
1 gousse de vanille
6 feuilles de gélatine
50 g de sucre

1- Mettre les feuilles de gélatine à tremper dans de l'eau froide. Mixer grossièrement les Véritable Petit Beurre.

2- Fendre la gousse de vanille dans le sens de la longueur, la mettre dans la crème fleurette. Porter à ébullition et cuire 5 minutes. Enlever la gousse à la fin de la cuisson.

3- Essorer les feuilles de gélatine entre les paumes des mains, les ajouter à la crème chaude. Mélanger puis laisser tiédir.

4- Ajouter les miettes de Véritable Petit Beurre et le sucre dans la crème, mélanger l'ensemble.

5- Verser dans 4 ramequins individuels. Mettre au frais pour 4 heures.

6- Renverser les crèmes dans des assiettes à dessert. Servir, accompagné d'un coulis de fruits.

CRÈME BRÛLÉE AUX PISTACHES

20 MIN DE PRÉPARATION - 1 H 15 DE CUISSON - 4 H DE RÉFRIGÉRATION

POUR 6 PERSONNES

6 Véritable Petit Beurre
6 cuillerées à soupe
de cassonade
8 jaunes d'œufs
60 cl de crème fleurette
80 g de sucre
50 g de pistaches

1- Préchauffer le four à 90 °C. Couper les pistaches grossièrement aux ciseaux.
2- Fouetter les jaunes d'œufs avec le sucre jusqu'à ce que le mélange blanchisse.
3- Faire chauffer la crème fleurette, arrêter le feu avant le premier bouillon. Verser la crème chaude sur les jaunes d'œufs puis mélanger.
4- Verser la crème aux œufs dans 6 petits plats individuels. Mettre à cuire au four au bain-marie pour 1 h 10. Puis placer au réfrigérateur.
5- Au moment de servir, sortir les crèmes du réfrigérateur, allumer le gril du four. Mixez les Véritable Petit Beurre, mélanger les miettes avec la cassonade et les pistaches, en saupoudrer les 6 crèmes et passer 3 minutes sous le gril du four.

TRIFFLE CHOCOLAT-FRUITS ROUGES-PISTACHES

20 MIN DE PRÉPARATION - 2 H DE RÉFRIGÉRATION

POUR 4 PERSONNES

8 Véritable Petit Beurre
200 g de mascarpone
20 cl de crème fleurette
3 cuillerées à soupe
de sucre glace
200 g de framboises
ou de fraises
10 g de chocolat blanc
4 cuillerées à soupe
de pistaches

1- Faire fondre le chocolat au micro-ondes. Fouetter la crème fleurette en chantilly très ferme avec le sucre glace.
2- Mélanger délicatement le mascarpone, la chantilly et le chocolat fondu.
3- Mixer les framboises ou les fraises.
4- Prendre 4 verres hauts. Dans le fond, verser environ 3 cm de coulis de fruits rouges, déposer des Véritable Petit Beurre concassés grossièrement, ajouter environ 4 cm de mousse au chocolat blanc.
5- Terminer par quelques miettes de Véritable Petit Beurre mélangées à des pistaches concassées. Laisser reposer 2 heures au réfrigérateur.

ABRICOTS RÔTIS AU VÉRITABLE PETIT BEURRE

20 MIN DE PRÉPARATION - 20 MIN DE CUISSON

POUR 4 PERSONNES

10 Véritable Petit Beurre
16 abricots
50 cl de sucre roux
en poudre
50 g de poudre
d'amandes
2 œufs
20 cl de crème fleurette

POUR LE DÉCOR
1 cuillerée à soupe
de fleurs de lavande
ou de poudre d'amandes

1- Préchauffer le four à 180 °C. Ouvrir les abricots en deux, ôter les noyaux. Les poser dans un plat allant au four, côté bombé en dessous.

2- Mixer les Véritable Petit Beurre, le sucre, la poudre d'amandes et les œufs. Verser progressivement la crème fleurette.

3- Recouvrir les abricots de cette préparation. Enfourner pour 20 minutes.

4- À la sortie du four, saupoudrer de fleurs de lavande. Hors saison, utiliser de la poudre d'amandes.

TRIANGLES FRAIS À LA FRAISE

25 MIN DE PRÉPARATION - 30 MIN DE CUISSON - 4 H DE RÉFRIGÉRATION

**POUR
4 À 6 PERSONNES**

20 Véritable Petit Beurre
400 g de mascarpone
20 cl de sirop
de grenadine
50 g de sucre en poudre
750 g de fraises
3 jaunes d'œufs
20 cl de crème fleurette
100 g de sucre glace

1- Fouetter les jaunes d'œufs avec la moitié du sucre glace, ajouter progressivement le mascarpone, bien mélanger.

2- Équeuter les fraises, en réserver 500 g. Couper le reste en petits morceaux et les ajouter au mascarpone.

3- Fouetter la crème fleurette en chantilly avec le reste de sucre glace. Mélanger à la préparation précédente.

4- Sur le plan de travail, poser une feuille de film alimentaire. Tremper les Véritable Petit Beurre dans du sirop de grenadine allongé d'eau puis les disposer en 3 rangées de 5 Véritable Petit Beurre chacune. Tartiner les biscuits de mascarpone aux fraises. Puis en passant les mains sous le film alimentaire, replier deux rangées pour former un triangle. Bien serrer le film alimentaire pour qu'il reste fermé et mettre au frais pour au moins 4 heures.

5- Faire cuire en compote les 500 g de fraises avec le sucre en poudre et le reste de sirop de grenadine.

6- Couper le gâteau en triangles et servir avec la compote de fraises.

MACARONS GARNIS

25 MIN DE PRÉPARATION -15 MIN DE CUISSON

POUR 20 MACARONS

20 Véritable Petit Beurre
120 g de poudre
d'amandes
180 g de sucre glace
1 sachet de sucre vanillé
4 blancs d'œufs

POUR LE DÉCOR :

4 cuillerées à soupe de
mascarpone
ou de fromage blanc (St
Môret®, Carré Frais®)
3 cuillerées à soupe
de coulis de fraises

1- Réduire les Véritable Petit Beurre en poudre fine. Dans un saladier, mélanger la poudre d'amandes, les miettes de Véritable Petit Beurre, le sucre glace et le sucre vanillé. Incorporer 2 blancs d'œufs.

2- Monter les blancs restants en neige ferme puis les ajouter délicatement au mélange précédent.

3- Préchauffer le four à 150 °C. Déposer une quarantaine de petits tas de pâte sur la plaque du four recouverte de papier sulfurisé. Bien espacer les tas les uns des autres. Enfourner pour 15 minutes.

4- À la sortie du four, laisser refroidir les macarons, les détacher du papier et les réunir par 2 en tartinant d'un peu de mascarpone (ou de fromage blanc) au coulis de fraises.

BARRES DE CÉRÉALES CROUSTILLANTES

20 MIN DE PRÉPARATION - 5 MIN DE CUISSON - 2 HEURES DE RÉFRIGÉRATION

POUR 10 BARRES

12 Véritable Petit Beurre

150 g de chocolat noir

75 g de céréales avec copeaux de chocolat

15 cl de crème fleurette

8 cuillerées à soupe de beurre de cacahuètes

50 g de noix concassées

5 oreillons d'abricots coupés en morceaux

50 g de noisettes

50 g de raisins gonflés 30 min dans du thé noir ou Earl Grey

1- Concasser grossièrement les Véritable Petit Beurre.

2- Faire fondre le chocolat noir au micro-ondes, le mélanger aussitôt avec la crème fleurette.

3- Verser la crème au chocolat sur 2 cm d'épaisseur dans un plat à gratin garni de papier sufurisé ou bien dans des emporte-pièces rectangulaires. Faire prendre 15 minutes au réfrigérateur.

4- Mélanger les morceaux de Véritable Petit Beurre avec les raisins, les noix, les abricots et les noisettes concassées, les céréales et la moitié du beurre de cacahuètes.

5- Étaler une petite couche de beurre de cacahuètes sur la pâte au chocolat durcie puis remplir sur 3 ou 4 cm avec le mélange de céréales, fruits secs et miettes de Véritable Petit Beurre. Laisser prendre 2 heures. Puis démouler et couper.

CARRÉS AU FUDGE

20 MIN DE PRÉPARATION - 20 MIN DE CUISSON - 2 H DE RÉFRIGÉRATION

POUR 8 CARRÉS

1 paquet de Véritable
Petit Beurre
100 g de beurre salé
50 g de sucre
150 g de chocolat noir
1 œuf
50 g de poudre
de noisettes

POUR LE FUDGE
15 cl de lait
300 g de sucre
15 cl de crème fraîche

1- Faire fondre le chocolat et le beurre au micro-ondes.
Les mélanger et ajouter le sucre, l'œuf, les Véritable Petit
Beurre mixés et la poudre de noisettes. Étaler cette pâte
dans un plat rectangulaire recouvert de papier sulfurisé.
Laisser durcir.
2- Pendant ce temps, dans une grande casserole, faire
chauffer ensemble le lait, le sucre et la crème fraîche.
Ne pas cesser de tourner, laisser bouillir doucement pendant
10 minutes. Continuer à remuer le fudge en mettant la
casserole dans un bain-marie d'eau froide quelques minutes.
3- Verser le fudge sur la pâte au chocolat et laisser refroidir
l'ensemble.
4- Découper le fudge en carrés de la taille des Véritable Petit
Beurre. Coller les carrés sur les biscuits. Placer 2 h au
réfrigérateur. Ils se conservent plusieurs jours au frais.

PÂTE À TARTINER

15 MIN DE PRÉPARATION - 2 MIN DE CUISSON

**POUR UN POT
À CONFITURE**

8 Véritable Petit Beurre
200 g de chocolat noir
à 70 %
50 g de noisettes
10 cl de crème fraîche
liquide
30 g de sucre glace
(facultatif)

1- Faire griller les noisettes dans une poêle antiadhésive.
Lorsqu'elles sont un peu refroidies, les frotter entre les mains
pour les débarrasser de leur peau brune.
2- Mixer les noisettes et les Véritable Petit Beurre concassés.
Faire fondre le chocolat au micro-ondes.
3- Ajouter le chocolat fondu aux noisettes et aux Véritable Petit
Beurre, verser progressivement la crème fraîche. Goûter
et ajouter le sucre glace à convenance.
Cette pâte à tartiner se conserve très bien une semaine
au réfrigérateur, dans un bocal à confiture fermé.

COMME DES FINGERS

20 MIN DE PRÉPARATION - 15 MIN DE CUISSON - 1 H DE RÉFRIGÉRATION

POUR 20 PIÈCES

12 Véritable Petit Beurre
150 g de chocolat noir
50 g de beurre
2 œufs
75 g de sucre
30 g de sucre glace

POUR LE DÉCOR :

chocolat noir, chocolat,
blanc, chocolat praliné…

1- Mixer les Véritable Petit Beurre.

2- Faire fondre le chocolat noir et le beurre. Laisser tiédir 5 minutes.

3- Ajouter les œufs au chocolat, un par un. Ajouter le sucre et les miettes de Véritable Petit Beurre, mélanger l'ensemble. Laisser reposer 1 heure au frais.

4- Préchauffer le four à 150 °C. Verser le sucre glace dans une assiette. Prendre un peu de pâte de chocolat, la rouler dans le sucre glace. Entre les paumes des mains, façonner des petits bâtonnets allongés. Les poser sur la plaque du four recouverte de papier cuisson.

5- Enfourner pour 15 minutes. À mi-cuisson, retourner les biscuits. Laisser refroidir complètement les biscuits.

6- Faire fondre les chocolats, tremper les biscuits dans le chocolat noir ou le blanc ou le praliné. On peut aussi recouvrir d'éclats de caramel ou de poudre de noisettes.

PALETS CHOCOLAT & FRUITS SECS

30 MIN DE PRÉPARATION - 5 MIN DE CUISSON

**POUR
3 GRANDS PALETS
OU 6 PETITS**

6 Véritable Petit Beurre
100 g de chocolat noir
100 g de chocolat blanc
1 cuillerée à soupe
de pâte de pistache
100 g de chocolat praliné
50 g de noisettes
30 g de raisins
50 g de noix de pécan
30 g de pistaches

1- Mixer finement les Véritable Petit Beurre. Mixer grossièrement les noisettes, les noix de pécan. Couper les pistaches aux ciseaux.
2- Faire fondre les chocolats séparément au micro-ondes. Ajouter la pâte de pistache au chocolat blanc, mélanger.
3- Sur une plaque recouverte de papier sulfurisé, étaler séparément les 3 chocolats en forme de disque en les aplatissant avec le dos d'une cuillère.
4- Mélanger les fruits secs et les miettes de Véritable Petit Beurre. Répartir ce mélange sur les disques de chocolat en appuyant un peu pour que les fruits secs adhèrent bien au chocolat. Bien laisser refroidir avant de servir.

CARAMEL AU VÉRITABLE PETIT BEURRE

45 MIN DE PRÉPARATION - 20 MIN DE CUISSON - 3 H DE RÉFRIGÉRATION

POUR 6 PERSONNES

1 paquet de Véritable
Petit Beurre
400 g de sucre en poudre
200 g de glucose liquide
300 g de crème fleurette
50 g de beurre
100 g de pignons de pin
30 g de pistaches
300 g de fromage blanc
ou de ricotta
ou de mascarpone
50 g de sucre glace

1- Mixer finement 12 Véritable Petit Beurre. Concasser les pistaches grossièrement. Dans une poêle antiadhésive, faire griller les pignons de pin.

2- Dans une casserole à fond épais, faire fondre le sucre et le sirop de glucose. Attendre que tout le sucre soit fondu, que les premiers bouillons apparaissent. Dans une autre casserole, faire chauffer la crème fleurette, la verser en plusieurs fois dans le caramel.

3- Ajouter le beurre coupé en petits morceaux, les miettes de Véritable Petit Beurre, les pignons et les pistaches. Laisser reposer au frais 3 heures au moins.

4- Au moment de servir, fouetter le fromage blanc avec le sucre glace.

5- Superposer des Véritable Petit Beurre et des couches de fromage blanc, puis arroser le tout de coulis de caramel.

REMERCIEMENTS

Merci à mon club de goûteurs professionnels ou presque :
Frédérique, Grégoire, Emmanuel, Eden et Nils.
Merci à Jérôme pour les idées farfelues et néanmoins gourmandes.

Avec l'aimable autorisation de reproduction de LU

Relecture et mise en page : Aurélie Legay

© Hachette Livre (Marabout) 2011
ISBN : 978-2-501-07317-2
40-7674-1 / 06
Achevé d'imprimer en octobre 2011
sur les presses d'Impresia-Cayfosa
Dépôt Légal : novembre 2011